劉福春・李怡 主編

民國文學珍稀文獻集成

第二輯

新詩舊集影印叢編　第72冊

【徐志摩卷】

志摩的詩

中華書局 1929 年 8 月初版

徐志摩　著

花木蘭文化事業有限公司

國家圖書館出版品預行編目資料

志摩的詩／徐志摩　著—初版—新北市：花木蘭文化事業有限公司，2017〔民106〕

206 面；19×26 公分

（民國文學珍稀文獻集成・第二輯・新詩舊集影印叢編　第72冊）

ISBN 978-986-485-151-5（套書精裝）

831.8　　106013764

ISBN-978-986-485-151-5

民國文學珍稀文獻集成・第二輯・新詩舊集影印叢編（51-85冊）

第72冊

志摩的詩

著　者　徐志摩

主　編　劉福春、李怡

企　劃　首都師範大學中國詩歌研究中心
北京師範大學民國歷史文化與文學研究中心
（臺灣）政治大學民國歷史文化與文學研究中心

總 編 輯　杜潔祥

副總編輯　楊嘉樂

編　輯　許郁翎、王筑　美術編輯　陳逸婷

出　版　花木蘭文化事業有限公司

社　長　高小娟

聯絡地址　235 新北市中和區中安街七二號十三樓
電話：02-2923-1455／傳真：02-2923-1452

網　址　http://www.huamulan.tw　信箱　hml 810518@gmail.com

印　刷　普羅文化出版廣告事業

初　版　2017年9月

定　價　第二輯51-85冊（精裝）新台幣88,000元　

志摩的詩

徐志摩 著

徐志摩（1897～1931），原名徐章垿，生於浙江海寧。

中華書局代印，一九二五年八月初版。

原書線裝，無版權頁。

志摩的詩

獻給爸爸

志摩的詩目錄

雪花的快樂

康橋

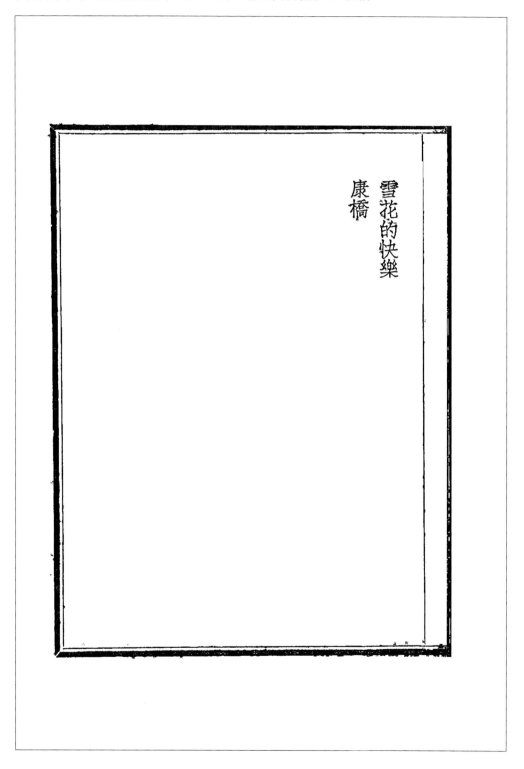

這是一個懦怯的世界

這是一個懦怯的世界：
　容不得戀愛，容不得戀愛！
披散你的滿頭髮，
赤露你的一雙脚；
　跟著我來，我的戀愛，
拋棄這個世界
殉我們的戀愛！
我拉著你的手，

愛，你跟著我走；
聽憑荊棘把我們的脚心刺透，
聽憑冰雹劈破我們的頭，
你跟著我走，
我拉著你的手，
逃出了牢籠，恢復我們的自由！

跟著我來，
我的戀愛！
人間已經掉落在我們的後背，——
看呀，這不是白茫茫的大海？

白茫茫的大海，
白茫茫的大海，
無邊的自由，我與你與戀愛！

順著我的指頭看，
那天邊一小星的藍—
那是一座島，島上有青草，
鮮花，美麗的走獸與飛鳥；
快上這輕快的小艇，
去到那理想的天庭—
戀愛，歡欣，自由—辭別了人間，永遠！

多謝天！我的心又一度的跳盪

多謝天！我的心又一度的跳盪，
這天藍與海青與明潔的陽光
驅淨了梅雨時期無歡的蹤跡，
也散放了我心頭的網羅與紐結，
像一朵曼陀羅花英英的露爽，
在空靈與自由中忘却了迷惘：——
迷惘，迷惘！也不知求自何處，
囚禁著我心靈的自然的流露，
可怖的夢魘，黑夜無邊的慘酷，

甦醒的盼切，只增劇靈魂的麻木！
曾經有多少的白晝，黃昏，清晨，
嘲諷我這蠶繭似不生產的生存？
也不知有幾遭的明月，星羣，晴霞，
山嶺的高亢與流水的光華……
辜負！辜負自然界叫喚的殷勤，
驚不醒這沈醉的昏迷與頑冥！

如今，多謝這無名的博大的光輝，
在艷色的青波與綠島間縈洄，
更有那漁船與航影，亭亭的黏坿

三

在天邊，喚起遼遠的夢景與夢趣：
我不由的驚悚，我不由的感媿
（有時微笑的嫵媚是啓悟的棒槌！）；
是何來倏忽的神明，爲我解脫
憂愁，新竹似的豁裂了外籜，
透露內裏的青篁，又爲我洗淨
障眼的盲翳，重見宇宙間的歡欣。

這或許是我生命重新的機兆；
大自然的精神！容納我的祈禱，
容許我的不躊躇的注視，容許

我的熱情的獻致，容許我保持
這顯示的神奇，這現在與此地，
這不可比擬的一切間隔的毀滅！
我更不問我的希望，我的惆悵，
未來與過去只是渺茫的幻想，
更不向人間訪問幸福的進門，
只求每時分給我不死的印痕，——
變一顆埃塵，一顆無形的埃塵，
追隨著造化的車輪，進行，進行，……

四

我有一個戀愛

我有一個戀愛；——
我愛天上的明星；
我愛他們的晶瑩：
　人間沒有這異樣的神明。

在冷峭的暮冬的黃昏，
在寂寞的灰色的清晨，
在海上，在風雨後的山頂——
　永遠有一顆，万顆的明星！

山澗邊小草花的知心，
高樓上小孩童的歡欣，
旅行人的燈亮與南針：——
萬萬里外閃鑠的精靈！

我有一個破碎的魂靈，
像一堆破碎的水晶，
散布在荒野的枯草裏——
飽啜你一瞬瞬的殷勤。

五

人生的沭激與柔情，
我也曾嘗味，我也曾容忍；
有時階砌下蟋蟀的秋吟，
　引起我心傷，逼迫我淚零。

我袒露我的坦白的胸襟，
　獻愛與一天的明星；
任憑人生是幻是真，
地球存在或是消泯—
　大空中永遠有不昧的明星！

去罷

去罷，人間，去罷！
我獨立在高山的峯上；
去罷，人間，去罷！
我面對著無極的穹蒼。

去罷，青年，去罷！
與幽谷的香草同埋；
去罷，青年，去罷！
悲哀付與暮天的羣鴉。

去罷，夢鄉，去罷！
我把幻景的玉杯摔破；
去罷，夢鄉，去罷！
我笑受山風與海濤之賀。

去罷，種種，去罷！
當前有插天的高峯；
去罷，一切，去罷！
當前有無窮的無窮！

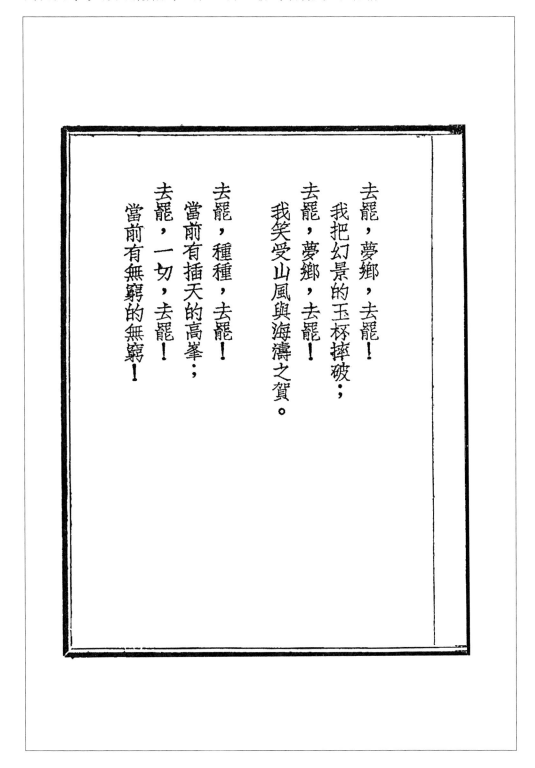

為要尋一个明星

我騎著一匹拐腿的瞎馬，
　向著黑夜裏加鞭；——
　向著黑夜裏加鞭，
我跨著一匹拐腿的瞎馬！

我衝入這黑緜緜的昏夜，
　為要尋一顆明星；——
　為要尋一顆明星，
我衝入這黑茫茫的荒野。

累壞了，累壞了我跨下的牲口，
那明星還不出現；——
那明星還不出現，
累壞了，累壞了馬鞍上的身手。

這回天上透出了水晶似的光明，
荒野裏倒著一隻牲口，
黑夜裏躺著一具屍首。——
這回天上透出了水晶似的光明！

留別日本

我慚愧我來自古文明的鄉國，
　我慚愧我脈管中有古先民的遺血，
我慚愧揚子江的流波如今溷濁，
　我慚愧——我面對著富士山的清越！

古唐時的壯健常縈我的夢想：
　那時洛邑的月色，那時長安的陽光；
那時蜀道的啼猿，那時巫峽的濤響；
　更有那哀怨的琵琶，在深夜的潯陽！

但這千餘年的痿痺，千餘年的懞憧：
　更無從辨認——當初華族的優美，從容！
摧殘這生命的藝術，是何處來的狂風？——
緬念那遍中原的白骨，我不能無恫！

我是一枚飄泊的黃葉，在旋風裏飄泊，
　迴想所從來的巨幹，如今枯禿；
我是一顆不幸的水滴，在泥潭裏匍匐——
　但這乾涸了的澗身，亦曾有水流活潑。

我欲化一陣春風，一陣吹嘘生命的春風，
　催促那寂寞的大木，驚破他深長的迷夢；
我要一把倔強的鐵鍬，剷除淤塞與壅腫，
　開放那偉大的潛流，又一度在宇宙間汹湧。

爲此我羨慕這島民依舊保持著往古的風尙，
　在樸素的鄉間想見古社會的雅馴，清潔，壯曠；
我不敢不祈禱古家邦的重光，但同時我願望——
　願東方的朝霞永葆扶桑的優美，優美的扶桑！

九

沙揚娜拉十八首

我記得扶桑海上的朝陽，
　黃金似的散布在扶桑的海上；
我記得扶桑海上的羣島，
　翡翠似的浮漚在扶桑的海上——
　　沙揚娜拉！

趁航在輕濤間，悠悠的，
　我見有一星星古式的漁舟，
像一羣無憂的海鳥，

在黃昏的波光裏息羽優遊，
　沙揚娜拉！

這是一座墓園；誰家的墓園
　占盡這山中的清風，松馨與流雲？
我最不忘那美麗的墓碑與碑銘，
　墓中人生前亦有山風與松馨似的清明—
　沙揚娜拉！（神戶山中墓園）

聽幾折風前的流鶯，
　看闊翅的鷹鷂穿度浮雲，

十

我倚着一本古松瞑睟：
　問墓中人何似墓上人的清閑？——
　　沙揚娜拉！（神戶山中墓園）

健康，歡欣，瘋魔，我羨慕
　你們同聲的歡呼『阿羅呀喈』！
我欣幸我參與這滿城的花雨，
　連翩的蛺蝶飛舞，『阿羅呀喈』！
　　沙揚娜拉！（大阪典祝）

增添我夢裏的樂音——便如今——

一聲聲的木屐，清脆，新鮮，殷勤，
又況是滿街豔的麗燈影，
燈影裏歡聲騰躍，「阿羅呀喈」！
　沙揚娜拉！（大阪典祝）

髣髴三峽間的風流，
　保津川有青嶂連緜的錦繡；
髣髴三峽間的險巇，
　飛沫裏趁急矢似的扁舟—
　　沙揚娜拉！（保津川急湍）

十

度一關湍險，駛一段清漣，
　清漣裏有青山的倩影；
撐定了長篙，小駐在波心，
　波心裏看閑適的魚羣——
　　沙揚娜拉！（仝前）

靜！且停那槳聲膠愛，
　聽青林裏嘹喨的歡欣，
是畫眉，是知更？像是滴滴的香液，
　滴入我的苦渴的心靈——
　　沙揚娜拉！（仝前）

『烏塔』：莫譏笑遊客的瘋狂，
　舟人，你們享盡山水的清幽，
喝一杯『沙雞』，朋友，共醉風光，
『烏塔，烏塔』！山靈不嫌粗魯的歌喉——
　沙揚娜拉！（仝前）

我不辨——辨亦無須——這異樣的歌詞，
　像不逞的波瀾在巖窟間吽嘶，
像衰老的武士訴說壯年時的身世，
『烏塔烏塔』！我滿懷灩灩的遐思——

十二

沙揚娜拉！（仝前）

那是杜鵑！她繡一條錦帶，
迤邐著那青山的青麓；
阿，那碧波裏亦有她的芳躅，
碧波裏掩映著她桃蕊似的嬌怯——
沙揚娜拉！（仝前）

但供給我沈酣的陶醉，
不僅是杜鵑花的幽芳；
倍勝於嬌柔的杜鵑，

最難忘更嬌柔的女郎！
沙揚娜拉！

我愛慕她們體態的輕盈，
嫵媚是天生，嫵媚是天生！
我愛慕她們顏色的調匀，
蛱蝶似的光艷，蛱蝶似的輕盈！
沙揚娜拉！

不辜負造化主的匠心，
她們流眄中有無限的殷勤；

十三

比如薰風與花香似的自由，
　我餐不盡她們的笑靨與柔情——
　　沙揚娜拉！

我是一隻幽谷裏的夜蝶：
　在草叢間成形，在黑暗裏飛行，
我獻致我翅羽上美麗的金粉，
　我愛戀萬萬里外閃亮的明星——
　　沙揚娜拉！

我是一隻酣醉了的花蜂：

我飽啜了芬芳，我不諱我的猖狂：
如今，在歸途上嚶嗡著我的小嗓，
想讚美那別樣的花釀，我曾經恣嘗——
沙揚娜拉！

最是那一低頭的溫柔，
像一朵水蓮花不勝涼風的嬌羞，
道一聲珍重，道一聲珍重，
那一聲珍重裏有蜜甜的憂愁——
沙揚娜拉！

十四

破廟

慌張的急雨將我
趕入了黑叢叢的山坳，
迫近我頭頂在騰拿，
惡很很的烏龍鉅爪；
棗樹兀兀地隱蔽着
一座靜悄悄的破廟，
我滿身的雨點雨塊，
躲進了昏沈沈的破廟；

雷雨越發來得大了：
霍隆隆半天裏霹靂，
豁喇喇林葉樹根苗，
山谷山石，一齊怒號，
千萬條的金剪金蛇，
飛入陰森森的破廟，
我渾身戰抖，趁電光
估量這冷冰冰的破廟；
我禁不住大聲號啕；
電光火把似的照耀，

照出我身旁神龕裏
一個青面獰笑的神道，
電光去了，霹靂又到，
不見了獰笑的神道，
硬雨石塊似的倒瀉——
我獨身藏躲在破廟；

千年萬年應該過了！
只覺得渾身的毛竅，
只聽得駭人的怪叫，
只記得那凶惡的神道，

忘了我現在的破廟；
好容易雨收了，雷休了，
血紅的太陽，滿天照耀，
照出一個我，一座破廟！

自然與人生

風，雨，山嶽的震怒：
　猛進，猛進！
顯你們的猖獗，暴烈，威武；
　霹靂是你們的酣嗷，
　雷震是你們的軍鼓——
萬丈的峯巒在洶洶的戰陣裏
　失色，動搖，顛播；
　猛進，猛進！
這黑沈沈的下界，是你們的俘虜！

壯觀！彷彿跳出了人生的關塞，
憑着智慧的明輝，廻看
這偉大的悲慘的趣劇，在時空
無際的舞台上，更番的演着：——
我駐足在岱嶽的頂顛，
在陽光朗照着的頂顛，俯看山腰裏
蜂起的雲潮斂着，疊着，漸緩的
淹沒了眼下的青巒與幽壑：
霎時的開始了。駭人的工作。

十七

風，雨，雷霆，山的獄震怒——
　猛進，猛進！
矯捷的，猛烈的：吼着，打擊着，咆哮着：
烈情的火焰，在層雲中狂竄：
戀愛，嫉妬，咒詛，嘲諷，報復，犧牲，煩悶，
　瘋犬似的跳着，追着，嗥着，咬着，
毒蟒似的絞着，翻着，掃着，舐着——
　猛進，猛進！
狂風，暴雨，電閃，雷霆：
烈情與人生！

靜了，靜了——
不見了晦盲的雲羅與霧錮，
祇有輕紗似的浮漚，在透明的晴空，
冉冉的飛昇，冉冉的翳隱，
像是白羽的安琪，捷報天庭。

靜了，靜了——
眼前消失了戰陣的幻景，
回復了幽谷與岡巒與森林，
青葱，凝靜，芳馨，像一個浴罷的處女，
忸怩的無言，默默的自憐，

十八

變幻的自然，變幻的人生，
瞬息的轉變，暴烈與和平，
劇心的慘劇與怡神的寧靜：——
誰是主，誰是賓，誰幻復誰真？
莫非是造化兒的詼諧與遊戲，
恣意的反覆着涕淚與歡喜，
厄難與幸運，娛樂他的冷酷的心，
與我在雲外看雷陣，一般的無情？

地中海

海呀！你宏大幽秘的音息·不是無因而來的！
這風穩日麗，也不是無因而然的！
這些進行不歇的波浪·喚起了思想同情的反應——
漲，落——隱，現——去，來……
無量數的浪花，各各不同，各有奇趣的花樣，——
一樹上沒有兩張相同的葉片
天上沒有兩朵相同的雲彩。
地中海呀！你是歐洲文明最老的見證！
魔大的帝國，曾經一再籠捲你的兩岸；

霸業的命運，曾經再三在你酥胸上定奪；
無數的帝王，英雄，詩人，僧侶，寇盜，商賈，曾經
在你懷抱中得意，失志，滅亡；
無數的財貨，牲畜，人命，艦隊，商船，漁艇，曾經
沈入的你的無底的淵窰；
無數的朝彩晚霞，星光月色，血腥，血糜，曾經浸染
塗糝你的面龐；
無數的風濤，雷電，砲聲，潛艇，曾經擾亂你安平的
居處；
屈洛安城焚的火光，阿脫洛庵家的慘劇，
沙倫女的歌聲，迦太基奴女被擄過海的哭聲，

維雪維亞炸裂的彩色，
尼羅河口，鐵拉法爾加唱凱的歌音……
都曾經供你耳目剎那的歡娛。

歷史來，歷史去；
埃及，波斯，希臘，馬其頓，羅馬，西班牙——
至多也不過抵你一縷浪花的漲歇，一莖春花的開落！

但是你呢——
依舊沖洗着歐非亞的海岸，
依舊保存着你青年的顏色，

(時間不曾在你面上留痕蹟。)
依舊繼續着你自在無罣的漲落,
依舊呼嘯着你厭世的騷愁,
依舊翻新着你浪花的樣式,——
這孤零零地神秘偉大的地中海呀,

灰色的人生

我想—我想開放我的寬闊的粗暴的噪音，唱一支野蠻的大膽的駭人的新歌；
我想拉破我的袍服，我的整齊的袍服，露出我的胸膛，肚腹，脅骨與筋絡；
我想放散我一頭的長髮，像一個遊方僧似的散披着一頭的亂髮；
我也想跣我的脚，跣我的脚，在巉牙似的道上，快活地，無畏地走着。

我要調諧我的嗓音，傲慢的，粗暴的，唱一闋荒唐的，
摧殘的 瀰漫的歌調；
我伸出我的巨大的手掌，向着天與地，海與山，無饜地
求討，尋撈；
我一把揪住了西北風，問他要落葉的顏色，
我一把揪住了東南風，問他要嫩芽的光澤；
我蹲身在大海的邊旁，傾聽他的偉大的酣睡的聲浪；
我捉住了落日的彩霞，遠山的露靄，秋月的明輝，散放
在我的髮上，胸前，袖裏，脚底……
我只是狂喜地大踏步地向前—向前—口唱着暴烈的，粗

傖的不成章的歌調；
來，我邀你們到海邊去，聽風濤震撼大空的聲調；
來，我邀你們到山中去，聽一柄利斧斫伐老樹的清音；
來，我邀你們到密室裏去，聽殘廢的，寂寞的靈魂的呻吟；
來，我邀你們到雲霄外去，聽古怪的大鳥孤獨的悲鳴；
來，我邀你們到民間去，聽衰老的，病痛的，貧苦的，殘毀的，受壓迫的，煩悶的，奴服的，懦怯的，醜陋的。罪惡的，自殺的，——和着深秋的風聲與雨聲！合唱的『灰色的人生』！

毒藥

今天不是我歌唱的日子，我口邊涎著獰惡的微笑，不是
我說笑的日子，我胸懷間插著發冷光的利刃；
相信我，我的思想是惡毒的因爲這世界是惡毒的，我的
靈魂是黑暗的因爲太陽已經滅絕了光彩，我的聲調是
像墳堆裏的夜鴞因爲人間已經殺盡了一切的和諧，我
的口音像是寃鬼責問他的仇人因爲一切的恩已經讓路
給一切的怨；
但是相信我，真理是在我的話裏雖則我的話像是毒藥，
真理是永遠不含糊的雖則我的話裏彷彿有兩頭蛇的舌

，蝎子的尾尖，蜈蚣的觸鬚；只因爲我的心裏充滿着
比毒藥更強烈，比咒詛更很毒，比火燄更猖狂，比死
更深奧的不忍心與憐憫心與愛心，所以我說的話是毒
性的，咒詛的，燎灼的，虛無的；
相信我，我們一切的準繩已經埋沒在珊瑚土打緊的墓宮
裏，最勁冽的祭肴的香味也穿不透這嚴封的地層：一
切的準則是死了的；
我們一切的信心像是頂爛在樹枝上的風箏，我們手裏擎
著這迸斷了的鷂綫：一切的信心是爛了的；
相信我，猜疑的巨大的黑影，像一塊烏雲似的，已經籠
蓋著人間一切的關係：人子不再悲哭他新死的親娘，

兄弟不再來攙著他姊妹的手，朋友變成了寇讎，看家的狗回頭來咬他主人的腿：是的，猜疑淹沒了一切；在路旁坐著啼哭的，在街心裏站著的，在你窗前探望的，都是被姦污的處女：池潭裏只見爛破的鮮豔的荷花；

在人道惡濁的澗水裏流著，浮荇似的，五具殘缺的屍體，他們是仁義禮智信，向著時間無盡的海瀾裏流去；這海是一個不安靖的海，波濤昌厥的飜著，在每個浪頭的小白帽上分明的寫著人欲與獸性；

到處是姦淫的現象：貪心摟抱著正義，猜忌逼迫著同情，懦怯狎褻著勇敢，肉欲侮弄著戀愛，暴力侵陵著人道，黑暗踐踏著光明；
聽呀，這一片淫猥的聲響，聽呀，這一片殘暴的聲響；
虎狼在熱鬧的市街裏，強盜在你們妻子的床上，罪惡在
你們深奧的靈魂裏……

二十四

白旗

來，跟著我來，拿一面白旗在你們的手裏——不是上面寫著激動怨毒，鼓勵殘殺字樣的白旗，也不是塗著不潔淨血液的標記的白旗，也不是畫著懺悔與咒語的白旗（把懺悔畫在你們的心裏）；

你們排列著，噤聲的，嚴肅的，像送喪的行列，不容許臉上留存一絲的顏色，一毫的笑容，嚴肅的，噤聲的，像一隊決死的兵士；

現在時辰到了，一齊舉起你們手裏的白旗，像舉起你們的心一樣，仰看着你們頭頂的青天，不轉瞬的，恐惶的，像看著你們自己的靈魂一樣；
現在時辰到了，你們讓你們熬著，壅著，迸裂着，滾沸着的眼淚流，直流，狂流，自由的流，痛快的流，盡性的流，像山水出峽似的流，像暴雨傾盆似的流……
現在時辰到了，你們讓你們咽著，壓迫著 掙扎著，洶湧著的聲音嚎，直嚎，狂嚎，放肆的嚎，凶很的嚎，像颶風在大海波濤間的嚎，像你們喪失了最親愛的骨肉時的嚎……
現在時辰到了，你們讓你們回復了的天性懺悔，讓眼淚的滾油煎淨了的，讓嚎慟的雷霆震醒了的天性懺悔，默默的懺悔，悠久的懺悔，沈徹的懺悔，像冷峭的星

光照落在一個寂寞的山谷裏，像一個黑衣的尼僧匐伏
在一座金漆的神龕前；
……………………
在眼淚的沸騰裏，在嚎慟的酣徹裏，在懺悔的沈寂裏，
你們望見了上帝永久的威嚴。

嬰兒

我們要盼望一個偉大的事實出現，我們要守候一個馨香的嬰兒出世：——

你看他那母親在她生產的床上受罪！

她那少婦的安詳，柔和，端麗，現在在劇烈的陣痛裏變形成不可信的醜惡：你看她那徧體的筋絡都在她薄嫩的皮膚底裏暴漲著，可怕的青色與紫色，像受驚的水青蛇在田溝裏急泅似的，汗珠站在她的前額上像一顆顆的黃豆，她的四肢與身體猛烈的抽搐著，畸屈著，奮挺著，糾旋著，彷彿她墊着的蓆子是用針尖編成

三六

的，彷彿她的帳圍是用火燄織成的；
一個安詳的，鎮定的，端莊的，美麗的少婦，現在在
絞痛的慘酷裏變形成魔鬼似的可怖：她的眼，一時緊
緊的闔着，一時巨大的睜着，他那眼，原來像冬夜池
潭裏反映着的明星，現在吐露着青黃色的凶燄，眼珠
像是燒紅的炭火，映射出她靈魂最後的奮鬥，她的原
來朱紅色的口脣，現在像是爐底的冷灰，她的口顫着
，撅着，扭着，死神的熱烈的親吻不容許她一息的平
安，她的髮是散披着，横在口邊，漫在胸前，像揪亂
的麻絲，她的手指間還緊抓着幾穗擰下來的亂髮；
這母親在她生產的床上受罪：——

但是他還不曾絕望，她的生命掙扎着血與肉與骨與肢體的纖微，在危崕的邊沿上，抵抗着，搏鬥着，死神的逼迫；

她還不曾放手，因爲她知道（她的靈魂知道！）這苦痛不是無因的，因爲她知道她的胎宮裏孕育着一點比她自己更偉大的生命的種子，包涵着一個比一切更永久的嬰兒；

因爲她知道這苦痛是嬰兒要求出世的徵候，是種子在泥土裏爆裂成美麗的生命的消息，是她完成她自己生命的使命的時機；

因爲她知道這忍耐是有結果的，在她劇痛的昏瞀中她彷彿聽着上帝准許人間祈禱的聲音，她彷彿聽着天使們讚美未來的光明的聲音；

因此她忍耐着，抵抗着，奮鬥着……她抵拚綳斷她統體的纖微，她要贖出在她那胎宮裏動盪着的生命，在她一個完全，美麗的嬰兒出世的盼望中，最銳利，最沉酣的痛感逼成了最銳利最沉酣的快感……

太平景象

「賣油條的，來六根——再來六根。」
「要香烟嗎，老總們，大英牌，大前門？多留幾包也好，前邊什麼買賣都不成。」

「這鎗好，德國來的，裝彈時手順；」
「我哥有信來，前天，說我媽有病；」
「哼，管得你媽，咱們去打仗要緊。」

「虧得在江南，離著家千里的路程，

要不然我的家裏人……唉，管得他們
眼紅眼青，咱們吃糧的眼不見爲淨！」

「說是，這世界！做鬼不幸，活著也不稱心；
誰沒有家人老小，誰願意來當兵拚命？」
「可是你不聽長官說，打傷了有卹金？」

「我就不希罕那貓兒哭耗子的「卹金」！
腦袋就是一個・我就想不透爲麼要上陣，
砰，砰，打自個兒的弟兄，損己，又不利人。

『你不見李二哥回來，爛了半個臉，全青？
他說前邊稻田裏的屍體，簡直像牛糞，
全的，殘的，死透的，半死的，爛臭，難聞。』

『我說這兒江南人倒懂事，他們死不當兵；
你看這路旁的皮棺，那田裏玲巧的享亭，
草也青，樹也青，做鬼也落個清靜：

『比不得我們——可不是火車已經開行？——
天生是稻田裏的牛糞——唉，稻田裏的牛糞！』
『喂，賣油條的，趕上來，快，我還要六根。』

二九

卡爾佛里

喂，看熱鬧去，朋友！在那兒？
卡爾佛里。今天是殺人的日子；
兩個是賊，還有一個——不知到底
是誰？有人說他是一個魔鬼；
有人說他是天父的親兒子，
米賽亞……看，那就是，他來了！
咦，爲什麼有人替他抗着
他的十字架？你看那兩個賊，
滿頭的亂髮，眼睛裹燒著火，

十字架壓著他們的肩背！
他們跟著耶穌走著；唉，耶穌，
他到底是誰？他們都說他有
威權，你看他那樣子頂和善，
頂謙卑——聽著，他說話了！他說：
『父呀，饒恕他們罷，他們自己
都不知道他們犯的是什麽罪』。
我說你覺不覺得他那話怪，
聽了叫人毛管裏直淌冷汗？
那黃頭毛的賊，你看，好像是
夢醒了，他臉上全變了氣色，

眼裏直流著白豆粗的眼淚；
準是變善了！誰要能赦了他，
保管他比祭司不差什麼高矮！……
再看那婦女們！小羊似的一羣，
也跟著耶穌的後背，頭也不包，
髮也不梳，直哭，直叫，直嚷，
倒像上十字架的是他們親生
兒子；倒像明天太陽不透亮……………
再看那羣得意的猶太，法利賽，
法利賽，穿著長袍，戴著高帽，
一臉奸相。他們也跟在後背，

他們這才得意哪，瞧他們那笑！
我真受不了那假味兒，你呢？
聽他們還嚷著哪：『快點兒走，
上「人頭山」去，釘死他，活釘死他』！……
唉，躲在墻邊高個兒的那個？
不錯，我認得，黑黑的，臉矮矮的，
就是他該死，他就是猶大斯！
不錯，他的門徒。門徒算什麼！
耶穌就讓他賣，賣現錢，你知道！
他們也不止一半天的交情哪：
他跟著耶穌喫苦就有好幾年，

誰知他貪小，變了心，真是狗屎！
那還只前天，我聽說，他們一起
喫晚飯，耶穌與他十三個門徒，
猶大斯就算一枚；耶穌早知道，
遲早他的命，他的血得讓他賣；
可不是他的血？喫晚飯時他說，
「他把自己的肉喂他們的餓，
也把他自己的血止他們的渴」，
意思要他們逢著患難時多少
幫著一點：他還親手舀著水
替他們洗脚，猶大斯都有分，

還拿自己的腰布替他們擦乾！
誰知那大個兒的黑臉他，沒等
擦乾嘴，就拿他主人去換錢：——
聽說那晚耶穌與他的門徒
在橄欖山上歇著，冷不防來了，
猶大斯帶著路，天不亮就幹，
樹林裏密密的火把像火蛇，
蜒著來了，真惡毒，比蛇還毒；
他一上來就親他主人的嘴，
那是他的信號，耶穌就倒了霉，
趕明兒你看，他的鮮血就在

三十二

十字架上凍著！我信他是好人；
就算他壞，也不該讓猶大斯
那樣骯髒的賣，那樣骯髒的賣！……
我看著慘，看他生生的讓人
釘上十字架去，當賊受罪，我不幹！
你沒聽著怕人的預言？我聽說
公道一完事，天地都得昏黑——
我真信天地都得昏黑——回家罷！

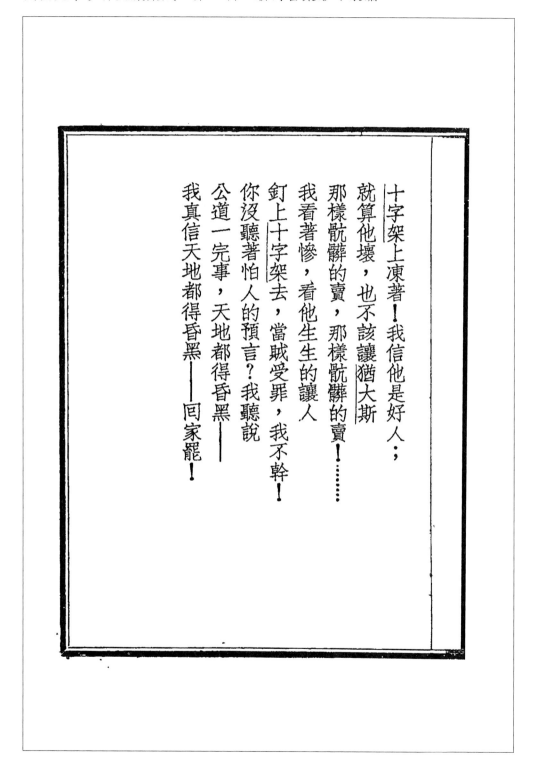

一條金色的光痕

來了一個婦人，一個鄉裏來的婦人，
穿着一件粗布棉襖，一條紫綿綢的裙，
一雙發腫的脚，一頭花白的頭髮，
慢慢的走上了我們前廳的石階：
手扶着一扇堂窗，她抬起了她的頭，
望著廳堂上的陳設，顫動着她的牙齒脫盡了的口。
她開口問了：──得罪那（你們），問聲點看，
我要來求見徐家格位太太，有點事體……

認真則，格位就是太太，真是老太婆哩，
眼睛赤花，連太太都勿認得哩！
是歐，太太，今朝特爲打鄉下來歐，
烏青青就出門；田裏西北風度（大）來野歐，是歐，
太太，爲點事體要來求求太太呀！
太太我拉埭上，東橫頭，有個老阿太，
姓李，親丁末……老早死完哩，伊拉格大官官——
李三官，起先到街上來做長年歐——，早幾年
成了弱病，田末賣掉，病末始終勿曾好
格位李家阿太老年格運氣真勿好，全靠
場頭上東幫幫，西討討，喫一口白飯，

每年只有一件絶薄歐棉襖靠過冬歐，
上個月聽得話李家阿太流火病發，
前夜子西北風起，我野凍得瑟瑟叫抖，
我心裏想李家阿太勿曉得那介哩，
昨日子我一早走到伊屋裏，真是罪過！
老阿太巳經去哩，冷冰冰歐滾在稻草裏，
野勿曉得幾時脫氣歐，野嘸不人曉得！
我野嘸不法子，只好去喊攏幾個人來，
有人話是餓煞歐，有人話是凍煞歐，
我看一半是老病，西北風野作與有點歐；——
爲此我到街上來，善堂裏格位老爺

本（給）里一具棺材，我乘便來求求太太，
做做好事，我曉得太太是頂善心歐，
頂好有舊衣裳本格件把，我還想去
買一刀錠箔；我自己屋裏野是滑白歐，
我只有五升米燒頓飯本兩個幫忙歐喫，
伊拉抬了材，外加收作，飯總要喫一頓歐，
太太是勿是？……噯，是歐！噯，是歐！
喔唷，太太認真好來，真體卹我拉窮人……
格套衣裳正好……喔唷，害太太還要
難爲洋鈿……喔唷，喔唷……我只得

朝太太磕一個響頭，代故世歐謝謝！
喔唷，那末真真多謝，真歐，太太……

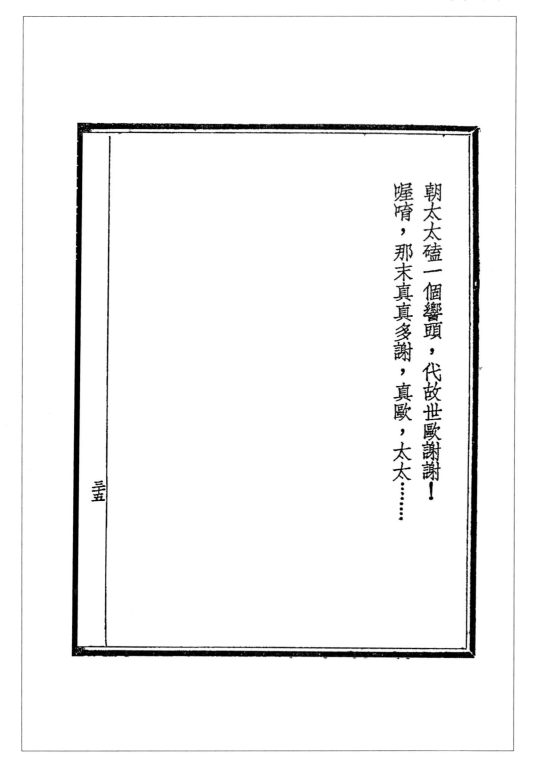

蓋上幾張油紙

一片，一片，半空裏
　掉下雪片；
有一個婦人，有一個婦人，
　獨坐在階沿。

虎虎的，虎虎的，風響
　在樹林間；
有一個婦人，有一個婦人，
　獨自在哽咽。

爲什麼傷心，婦人，
　這大冷的雪天？
爲什麼啼哭，莫非是
　失掉了釵鈿？
不是的，先生，不是的，
　不是爲釵鈿；
也是的，也是的，我不見了
　我的心戀。

那邊松林裏，山脚下，先生。
有一隻小木篋，
裝着我的寶貝，我的心，
三歲兒的嫩骨！

昨夜我夢見我的兒：
叫一聲『娘呀——
天冷了，天冷了，天冷了，
兒的親娘呀』！

今天果然下大雪，屋檐前

望得見冰條，
我在冷冰冰的被窩裏摸——
摸我的寶寶。

方才我買來幾張油紙，
蓋在兒的床上；
我喚不醒我熟睡的兒——
我因此心傷。

一片，一片，半空裏
掉下雪片；

有一個婦人，有一個婦人，
獨坐在階沿。
虎虎的，虎虎的，風響
在樹林間；
有一個婦人，有一個婦人，
獨自在哽咽。

無題

原是你的本分，朝山人的脛踝，
這荆刺的傷痛！回看你的來路，
看那艸叢亂石間斑斑的血迹，
在暮靄裏記認你從來的踪蹟！
且緩撫摩你的肢體，你的止境
還遠在那白雲環拱處的山嶺！

無聲的暮煙，遠從那山麓與林邊，
漸漸的潮沒了這曠野，這荒天，

你渺小的孑影面對這冥盲的前程，
像在怒濤間的輕航失去了南針；
更有那黑夜的恐怖，悚骨的狠嘷，
狐鳴，鷹歗，蔓艸間有蝮蛇纏繞！

退後？——昏夜一般的吞蝕血染的來蹤，
倒地？——這懦怯的累贅問誰去收容？
前衝？阿，前衝！衝破這黑暗的冥凶，
衝破一切的恐怖，遲疑，畏葸，苦痛，
血淋漓的踐踏過三角稜的勁刺，
叢莽中伏獸的利爪，蜿蜒的蟲豸！

前衝；靈魂的勇是你成功的秘密！
這回你看，在這决心捨命的瞬息，
迷霧已經讓路，讓給不變的天光，
一彎青玉似的明月在雲隙裏探望，
依稀窗紗間美人啓齒的瓠犀，——
那是靈感的贊許，最恩寵的贈與！

更有那高峯，你那最想望的高峯，
亦已湧現在當前，蓮苞似的玲瓏，
在藍天裏，在月華中，穠艷，崇高，——

朝山人，這異象便是你跋涉的酬勞！

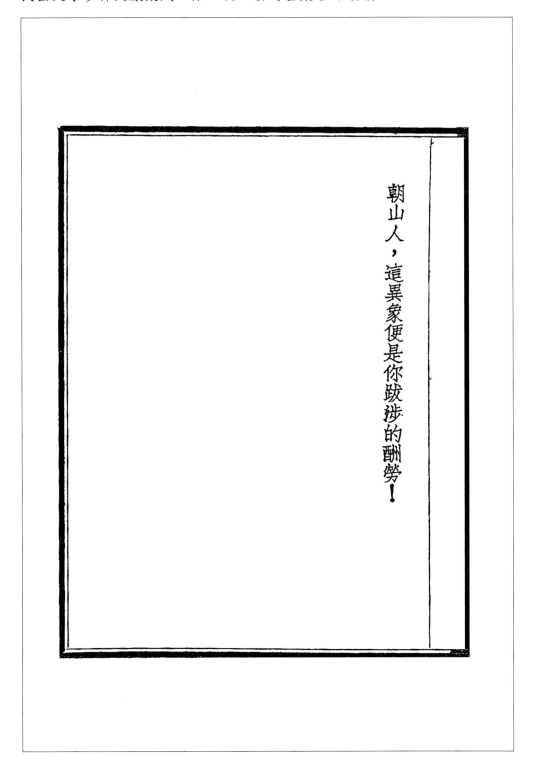

殘詩

怨誰？怨誰？這不是青天裏打雷？
關着；鎖上；趕明兒瓷花磚上堆灰！
別瞧這白石台階光潤，趕明兒，唉，
石縫裏長艸，石板上青青的全是莓！
那廊下的青玉缸裏養着魚真鳳尾，
可還有誰給換水，誰給撈艸，誰給喂？
要不了三五天準翻著白肚鼓著眼，
不浮著死，也就讓冰分兒壓一个扁！
頂可憐是那幾个紅嘴綠毛的鸚哥，

讓娘娘教得頂乖，會跟著洞簫唱歌，
真嬌養慣，喂食一遲，就叫人名兒罵，
現在，您叫去！就剩空院子給您答話！……

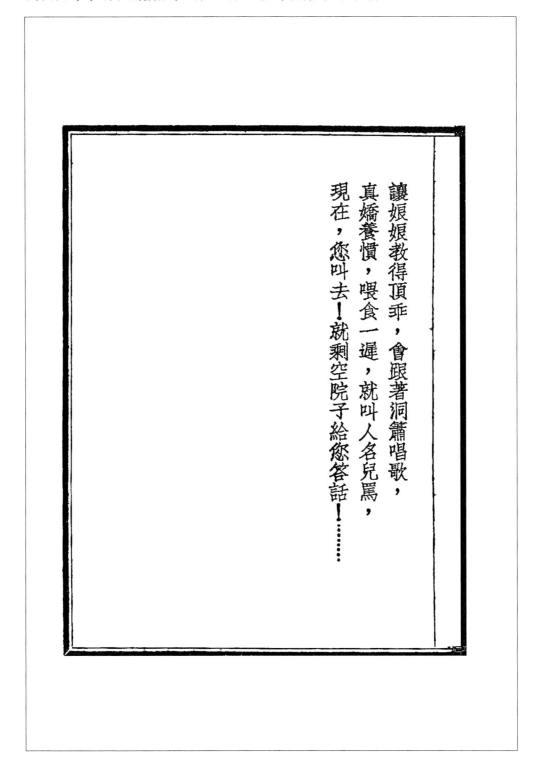

東山小曲

早上——太陽在山坡上笑，
　太陽在山坡上叫：——
看羊的，你來吧，
　這里有粉嫩的草，鮮甜的料，
好把你的老山羊，小山羊，喂個滾飽；
小孩們你們也來吧，
　這里有大樹，有石洞，有蚱蜢，有小鳥，
快來捉一會盲藏，豁一个虎跳。

四十

中上——太陽在山腰裏笑，
　太陽在山坳裏叫：——
遊山的你們來吧，
　這里來望望天，望望田，消消遣，
忘記你的心事，丟掉你的煩惱；
叫化子們你們也來吧，
　這里來偎火熱的太陽，勝如一件棉襖，還有香客
的布施，豈不是好？

晚上——太陽已經躲好，
　太陽已經去了：——

野鬼們你們來吧，
黑巍巍的星光，照著冷清清的廟，
樹林裏有隻貓頭鷹，半天裏有隻九頭鳥；
來吧，來吧，一齊來吧，
撞開你的頂頭板，唱起你的追魂調，
那邊來了個和尚，快去要他一個靈魂出竅！

一小幅的窮樂圖

巷口一大堆新倒的垃圾，
大概是紅漆門裏倒出來的垃圾，
其中不盡是灰，還有燒不爐的煤，
不盡是殘骨，也許骨中有髓，
骨坳裏還黏着一絲半縷的肉片，
還有半爛的布條，不破的報紙，
兩三梗取燈兒，一半枝的殘烟；

這垃圾堆好比是個金山，

山上滿僂着尋求黃金者，
一隊的襤褸，破爛的布袴藍襖，
一個兩個數不清高撅的臀腰，
有小女孩，有中年婦，有老婆婆，
一手挽着筐子，一手拿着樹條，
深深的彎着腰，不咳嗽，不嘮叨，
也不爭鬧，只是向灰堆裏尋撈，
向前撈撈，向後撈撈，兩邊撈撈，
肩挨肩兒，頭對頭兒，撥撥挑挑，
老婆婆檢了一塊布條，上好一塊布條！
有人專檢煤渣，滿地多的煤渣，

媽呀，一個女孩叫道，我檢了一塊鮮肉骨頭，回頭熬老豆腐吃，好不好？

一隊的褴褸，好比個走馬燈兒，
轉了過來，又轉了過去，又過來了，
有中年婦，有女孩小，有婆婆老，
還有夾在人堆裏趁熱鬧的黃狗幾條。

先生！先生！

鋼絲的車輪
在偏僻的小巷內飛奔——
『先生，我給先生請安您哪，先生。』

迎面一蹲身，
一個單布褂的女孩顫動着呼聲——
雪白的車輪在冰冷的北風裏飛奔。

緊緊的跟，緊緊的跟，

破爛的孩子追趕着鑠亮的車輪——
『先生，可憐我一大吧，善心的先生！』
『可憐我的媽，
她又餓又凍又病，躺在道兒邊直呻——
您修好，賞給我們一頓窩窩頭您哪，先生！』
『沒有帶子兒』，
坐車的先生說，車裏戴大皮帽的先生——
飛奔，急轉的雙輪，緊追，小孩的呼聲。

一路旋風似的土塵，
土塵裏飛轉着銀晃晃的車輪——
『先生，可是您出門不能不帶錢您哪，先生。』

『先生！……先生！』
紫漲的小孩，氣喘着，斷續的呼聲——
飛奔，飛奔，橡皮的車輪不住的飛奔。

飛奔……先生……
飛奔……先生……
先生……先生……先生……

石虎胡同七號

我們的小園庭，有時蕩漾着無限温柔：善笑的藤孃，袒
酥懷任團團的柿掌綢繆，
百尺的槐翁，在微風中俯身將棠姑抱摟，
黃狗在籬邊，守候睡熟的珀兒，他的小友，
小雀兒新製求婚的艷曲，在媚唱無休——我們的小園庭，
有時蕩漾着無限温柔。

我們的小園庭，有時淡描着依稀的夢景；雨過的蒼芷與
滿庭蔭綠，織成無聲幽暝，

小蛙獨坐在殘蘭的胸前，聽隔院蚓嗚，
一片化不盡的雨雲，倦展在老槐樹頂，
掠檐前作圓形的舞旋，是蝙蝠，還是蜻蜓？——

我們的小園庭，有時淡描着依稀的夢景。
我們的小園庭，有時輕喟着一聲奈何；
奈何在暴雨時，雨搥下搗爛鮮紅無數，
奈何在新秋時，未凋的青葉惆悵地辭樹，
奈何在深夜裏，月兒乘雲艇歸去，西牆已度，
遠巷薤露的樂音，一陣陣被冷風吹過——
我們的小園庭，有時輕喟着一聲奈何。

我們的小園庭，有時沉浸在快樂之中；
雨後的黃昏，滿院只美蔭，清香與涼風，
大量的蹇翁，巨樽在手，蹇足直指天空，
一斤，兩斤，杯底喝盡，滿懷酒歡，滿面酒紅，
連珠的笑響中，浮沉着神仙似的酒翁——
我們的小園庭，有時沉浸在快樂之中

雷峯塔

『那首是白娘娘的古墓
（划船的手指着野草深處）；
客人，你知道西湖上的佳話，
白娘娘是個多情的妖魔；』

『她爲了多情，反而受苦，
愛了個沒出息的許仙，她的情夫；
他聽信了一個和尚，一時的胡塗，
拿一個鉢盂，把他妻子的原形罩住』。

四七

到如今已有千百年的光景，
可憐她被鎮壓在雷峯塔底，——
一座殘敗的古塔，悽涼地，
莊嚴地，獨自在南屏的晚鐘聲裏！

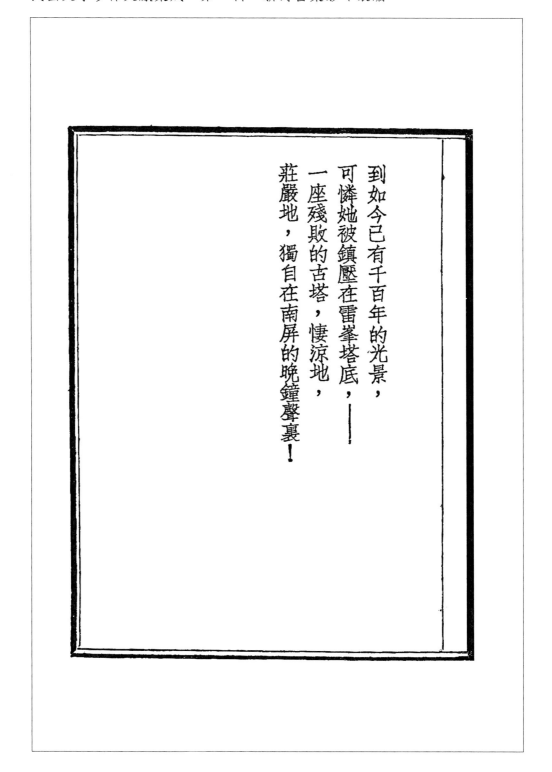

月下雷峯影片

我送你一个雷峯塔影，
滿天稠密的黑雲與白雲；
我送你一个雷峯塔頂，
明月瀉影在眠熟的波心。

深深的黑夜，依依的塔影，
團團的月彩，纖纖的波鱗——
假如你我蕩一支無遮的小艇，
假如你我創一个完全的夢境！

四八

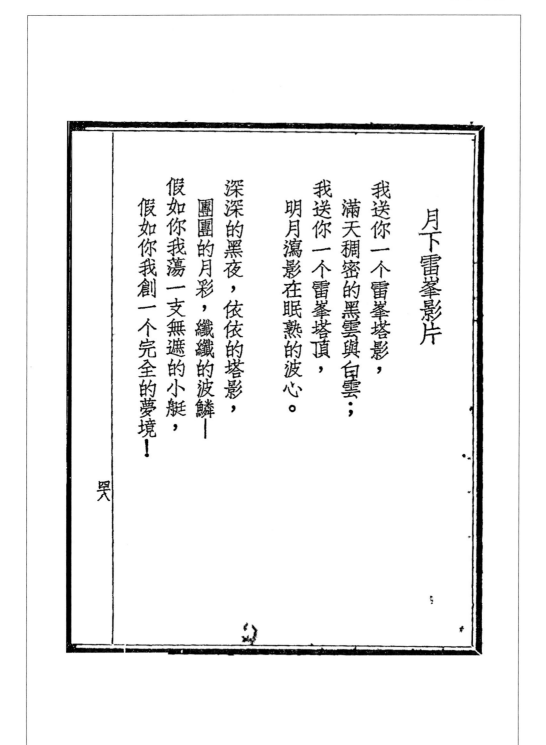

滬杭車中

匆匆匆！催催催！
一捲煙，一片山，幾點雲影，
一道水，一條橋，一支櫓聲，
一林松，一叢竹，紅葉紛紛：

艷色的田野，艷色的秋景，
夢境似的分明，摸糊，消隱，——
催催催！是車輪還是光陰？
催老了秋容，催老了人生！

難得

難得，夜這般的清靜，
　難得，爐火這般的溫，
更是難得，無言的相對，
　一雙寂寞的靈魂！

也不必籌營，也不必詳論，
　更沒有虛憍，猜忌與嫌憎，
只靜靜的坐對着一爐火，
　只靜靜的默數遠巷的更。

四九

喝一口白水，朋友，
　滋潤你的乾裂的口脣；
你添上幾塊煤，朋友，
　一爐的紅燄感念你的殷勤。

在冰冷的冬夜，朋友，
　人們方始珍重難得的爐薪；
在這冰冷的世界，
　方始凝結了少數同情的心！

古怪的世界

從松江的石湖塘
上車來老婦一雙，
顫巍巍的承住弓形的老人身，
多謝（我猜是）普渡山的盤龍藤：
青布棉襖，黑布棉套，
頭毛半禿，齒牙半耗：
肩挨肩的坐落在陽光暖暖的窗前，
畏葸的，呢喃的，像一對寒天的老燕；

震震的乾枯的手背，
震震的皺縮的下頦：
這二老！是妯娌，是姑嫂，是姊妹？——
緊挨著，老眼中有傷悲的眼淚！

憐憫！貧苦不是卑賤，
老衰中有無限莊嚴；——
老年人有什麼悲哀，爲什麼悽傷？
爲什麼在這快樂的新年，拋却家鄉？

同車裏雜遝的人聲，
軌道上疾轉著車輪；
我獨自的，獨自的沈思這世界古怪——
是誰吹弄著那不調諧的人道的音籟？

朝霧裏的小艸花

這豈是偶然，小玲瓏的野花！
你輕含着鮮露顆顆，
怦動的，像是慕光明的花蛾，
在黑暗裏想念䆮彩，晴霞；

我此時在這蔓草叢中過路，
無端的內感惆悵與驚訝，
在這迷霧裏，在這岩壁下，
思忖着，淚怦怦的，人生與鮮露？

在那山道旁

在那山道旁，一天霧濛濛的朝上，
初生的小藍花在草叢裏窺覷，
我送別她歸去，與她在此分離，
在青草裏飄拂，她的潔白的裙衣。

我不曾開言，她亦不曾告辭，
駐足在山道旁，我黯黯的尋思；
『吐露你的秘密，這不是最好時機？』——
露湛的小花，彷彿惱我的遲疑。

爲什麼遲疑，這是最後的時機，
在這山道旁，在這霧盲的朝上？
收集了勇氣，向着她我旋轉身去：——
但是阿！爲什麼她滿眼悽惶？

我咽住了我的話，低下了我的頭：
火灼與冰激在我的心胸間迴盪，
阿，我認識了我的命運，她的憂愁，——
在這濃霧裏，在這凄清的道旁！

在那天朝上，在霧茫茫的山道旁，
新生的小藍花在草叢裏睥睨，
我目送她遠去，與她從此分離——
在青草間飄拂，她那潔白的裙衣！

五老峯

不可搖撼的神奇，
　不容注視的威嚴，
這聳峙，這橫蟠，
　這不可攀援的峻險！
看！那巉巖缺處
　透露著天，窈遠的蒼天，
在無限廣博的懷抱間，
　這磅礴的偉象顯現！

是誰的意境，是誰的想像？
　是誰的工程與搏造的手痕？
在這亙古的空靈中
　陵慢著天風，天體與天氛！
有時朵朵明媚的彩雲，
　輕顫的，粧綴著老人們的蒼鬢，
像一樹虬幹的古梅在月下
　吐露了艷色鮮葩的清芬！
山麓前伐木的村童，
　在山澗的清流中洗濯，呼嘯，

認識老人們的嗔肇，
　迷霧海沫似的噴湧，鋪罩，
淹沒了谷內的青林，
　隔絕了鄱陽的水色娟淼，
陡壁前閃亮著火電，聽呀！
　五老們在渺茫的霧海外狂笑！
朝霞照他們的前胸，
　晚霞戲逗著他們赤禿的頭顱；
黃昏時，聽異鳥的歡呼，
　在他們鳩盤的肩旁怯怯的透露

不昧的明星與月彩：
柔波裏，緩泛著的小艇與輕舸；
聽呀！在海會靜穆的鐘聲裏，
有朝山人在落葉林中過路！
更無有人事的虛榮，
更無有塵世的倉促與噩夢，
靈魂！記取這從容與偉大，
在五老峯前飽啜自由的山風！
這不是山峯，這是古聖人的祈禱，
凝聚成這『凍樂』似的建築神工，

給人間一個不朽的憑證，——

一個『倔強的疑問』在無極的藍空！

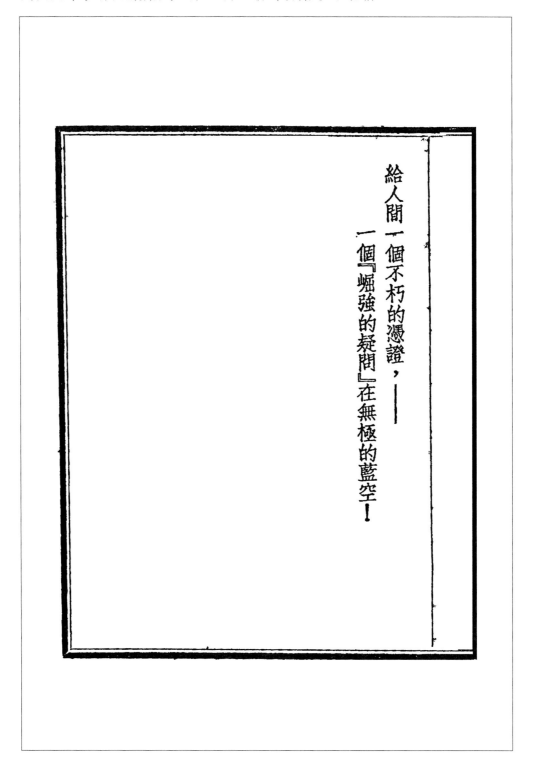

鄉村裏的音籟

小舟在垂柳蔭間緩泛——
一陣陣初秋的涼風，
吹生了水面的漪絨，
吹來兩岸鄉村裏的音籟。

我獨自憑著船窗閒憩，
靜看著一河的波幻，
靜聽著遠近的音籟，——
又一度與童年的情景默契！

這是清脆的稚兒的呼喚，
　田場上工作紛紜，
　竹籬邊犬吠鷄鳴：
但這無端的悲感與悽惋！

白雲在藍天裏飛行：
　我欲把惱人的年歲，
　我欲把惱人的情愛，
託付與無涯的空靈——消泯；

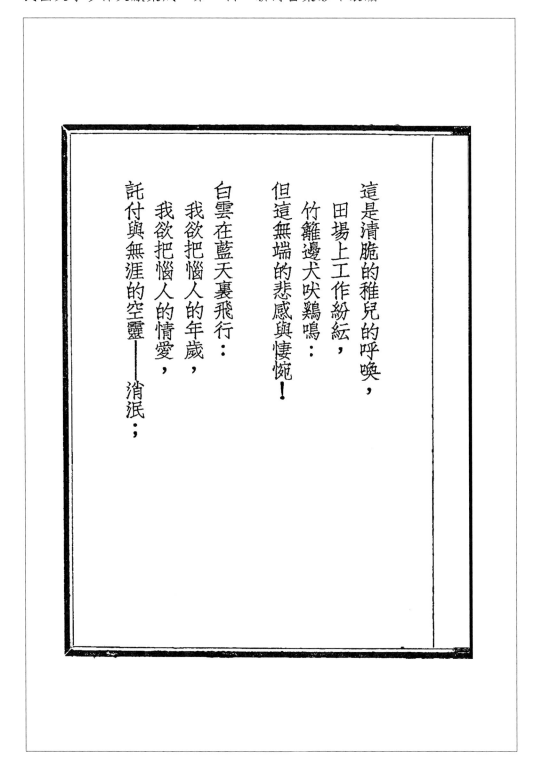

回復我純樸的，美麗的童心：
像山谷裏的冷泉一勺，
像曉風裏的白頭乳鵲，
像池畔的草花，自然的鮮明。

三七

天國的消息

可愛的秋景！無聲的落葉，
輕盈的，輕盈的，掉落在這小徑，
竹籬內，隱約的，有小兒女的笑聲：

嚦嚦的清音，繚繞著村舍的靜謐，
仿佛是幽谷裏的小鳥，歡噪著清晨，
驅散了昏夜的晦塞，開始無限光明。

霎那的歡欣，曇花似的湧現，

開豁了我的情緒，忘却了春戀，
人生的惶惑與悲哀，惆悵與短促——
在這稚子的歡笑聲裏，想見了天國！

晚霞泛濫著金色的楓林，
涼風吹拂著我孤獨的身形；
我靈海裏嘯響著偉大的波濤，
應和更偉大的脈搏，更偉大的靈潮！

夜半松風

這是冬夜的山坡，
坡下一座冷落的僧廬，
廬內一個孤獨的夢魂：
　在懺悔中祈禱，在絕望中沈淪；——

爲什麼這怒噭，這狂歡，
鼉鼓與金鉦與虎與豹？
爲什麼這幽訴，這私慕？
烈情的慘劇與人生的坎坷——

又一度潮水似的淹沒了
這傍徨的夢魂與冷落的僧廬？

消息

雷雨暫時收斂了；
雙龍似的雙虹，
顯現在霧靄中，
天矯，鮮豔，生動，——
好兆！明天准是好天了。
什麽！又是一陣打雷，——
在雲外，在天外，
又是一片闇淡，

不見了鮮虹彩，——
希望，不曾站穩，又毀。

卒

青年曲

泣與笑，戀與願與恩怨，
難得的青年，倏忽的青年，
前面有座鉄打的城垣，青年，
你進了城垣，永別了春光，
永別了青年，戀與願與恩怨！

妙樂與酒與玫瑰，不久住人間，
青年，彩虹不常在天邊，
夢裏的顏色，不能永葆鮮妍，

你須珍重，青年，你有限的脈搏，
休教幻景似的消散了你的青年！

誰知道

我在深夜裏坐着車回家——
一個襤褸的老頭他使着勁兒拉；
　天上不見一個星，
街上沒有一只燈：
那車燈的小火
衝着街心裏的土——
左一個顛播，右一個顛播，
拉車的走着他的踉蹌步；
……………………

『我說拉車的，這道兒那兒能這麼的黑？』
『可不是先生？這道兒真——真黑！』
他拉——拉過了一條街，穿過了一座門，
轉一個灣，轉一個灣，一般的暗沈沈；——
　天上不見一個星，
　街上沒有一個燈，
　那車燈的小火
　蒙著街心裏的土——
　左一個顛播，右一個顛播，
拉車的走著他的踉蹌步；

……………………………

『我說拉車的，這道兒那兒能這麼的靜？』
『可不是先生？這道兒真——真靜！』
他拉——緊貼著一梁墻，長城似的長，
過一處河沿，轉入了黑遙遙的曠野；——
天上不露一顆星，
道上沒有一只燈：
那車燈的小火
晃著道兒上的土——
左一個顛播，右一個顛播，

拉車的走著他的踉蹌步；

………………

『我說拉車的，怎麼這兒道上一個人都不見？』

『倒是有先生，就是您不大瞧得見！』

　我骨髓裏一陣子的冷——

那邊青繚繚的是鬼還是人？

彷彿聽着烏咽與笑聲——

阿，原來這徧地都是墳！

　天上不亮一顆星，

道上沒有一只燈：

那車燈的小火
繚着道兒上的土——
左一個顛播，右一個顛播，
拉車的跨着他的踉蹌步；
…………………………

『我說——我說拉車的喂！這道兒那……那兒有這麼遠？』
『可不是先生？這道兒真——真遠！』
『可是……你拉我回家……你走錯了道兒沒有？』
『誰知道先生！誰知道走錯了道兒沒有！』
……………………，

我在深夜裏坐着車回家
一堆不相識的襤褸他使著勁兒拉；——
　天上不明一顆星，
道上不見一只燈：
只那車燈的小火
裊着道兒上的土——
左一個顛播，右一個顛播，
拉車的跨着他的蹣跚步。

常州天寧寺聞禮懺聲

有如在火一般可愛的陽光裏，偃臥在長梗的，雜亂的叢艸裏，聽初夏第一聲的鷓鴣，從天邊直響入雲中，從雲中又廻響到天邊；

有如在月夜的沙漠裏，月光温柔的手指，輕輕的撫摩着一顆顆熱傷了的砂礫，在鵝絨般軟滑的熱帶的空氣裏，聽一個駱駝的鈴聲，輕靈的，輕靈的，在遠處響着，近了，近了，又遠了……

有如在一個荒涼的山谷裏，大胆的黃昏星，獨自臨照着陽光死去了的宇宙，野艸與野樹默默的祈禱着；聽一個瞎

子，手扶着一個幼童，鐺的一響算命鑼，在這黑沈沈的
世界裏回響着；
有如在大海裏的一塊礁石上，浪濤像猛虎般的狂撲着，天
空緊緊的繃着黑雲的厚幕，聽大海向那威嚇着的風暴，
低聲的，柔聲的，懺悔他一切的罪惡；
有如在喜馬拉雅的頂顛，聽天外的風，追趕着天外的雲的
急步聲，在無數雪亮的山壑間迴響着；
有如在生命的舞台的幕背，聽空虛的笑聲，失望與痛苦的
呼籲聲，殘殺與淫暴的狂歡聲，厭世與自殺的高歌聲，
在生命的舞台上合奏着；

一二五

我聽着了天甯寺的禮懺聲！

這是那裏來的神明？人間再沒有這樣的境界！

這鼓一聲，鐘一聲，磬一聲，木魚一聲，佛號一聲……樂音在大殿裏，迂緩的，曼長的廻盪着，無數衝突的波流諧合了，無數相反的色彩淨化了，無數現世的高低消滅了……

這一聲佛號，一聲鐘，一聲鼓，一聲木魚，一聲磬，諧音盤礴在宇宙間——解開一小顆時間的埃塵，收束了無量數世紀的因果；

這是那裏來的大和諧——星海裏的光彩，大千世界的音籟，真生命的洪流：止息了一切的動，一切的擾攘；

在天地的盡頭，在金漆的殿椽間，在佛像的眉宇間，在我的衣袖裏，在耳鬢邊，在官感裏，在心靈裏，在夢裏……

在夢裏，這一瞥間的顯示，青天，白水，綠草，慈母溫軟的胸懷，是故鄉嗎？是故鄉嗎？

光明的翅羽，在無極中飛舞！
大圓覺底裏流出的歡喜，在偉大的，莊嚴的，寂滅的，無疆的，和諧的靜定中實現了！
頌美呀，涅槃！讚美呀，涅槃！

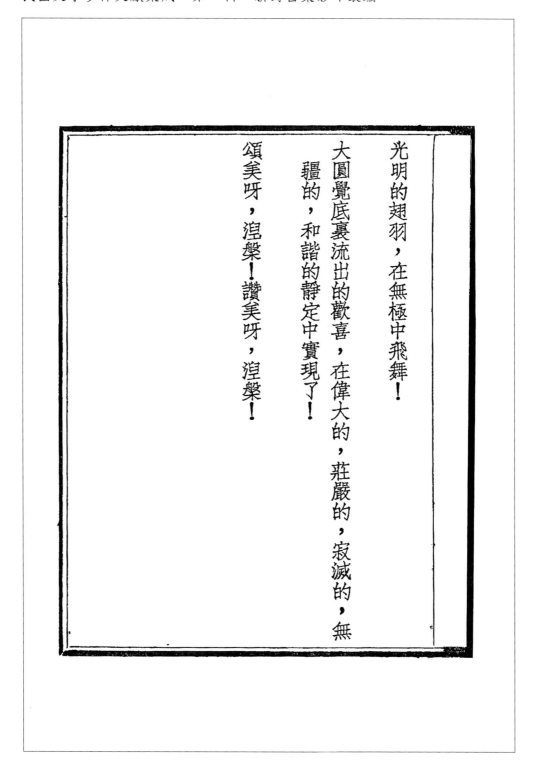

一家古怪的店鋪

有一家古怪的店鋪，
隱藏在那荒山的坡下；
我們村裏白髮的公婆，
也不知他們何時起家。

相隔一條大河，船筏難渡；
有時青林裏裊起髻螺，
在夏秋間明淨的晨暮——
料是他家工作的煙霧。

一六七

有時在寂靜的深夜，
狗吠隱約鑪捶的聲響，
我們忠厚的更夫常見
對河山脚下火光上颺。

是種田鉤鐮，是馬蹄鐵鞋，
是金銀妙件，還是殺人凶械？
何以永戀此林山，荒野，
神秘的捶工呀，深隱難見？

這是家古怪的店鋪，
隱藏在荒山的坡下；
我們村裏白頭的公婆，
也不知他們何時起家。

不再是我的乖乖

（一）

前天我是一个小孩，
這海灘最是我的愛；
早起的太陽賽如火爐，
趁暖和我來做我的工夫：
檢滿一衣兜的貝殼，
在這海砂上起造宮闕：
哦，這浪頭來得凶惡
衝了我得意的建築——

我喊一聲海，海！
你是我小孩兒的乖乖！

（二）

昨天我是一个「情種」，
到這海灘上來發瘋；
西天的晚霞慢慢的死，
血紅變成薑黃，又變紫，
一顆星在半空裏窺伺
我匐伏在砂堆裏畫字，
一个字，一个字，又一个字，

誰說不是我心愛的遊戲？
我喊一聲海，海！
不許你有一點兒的更改！

（三）

今天！咳，為什麼要有今天？
不比從前，沒了我的瘋癲，
再沒有小孩時的新鮮，
這回再不來這大海的邊沿！
頭頂不見天光的方便，
海上只闇沉沉的一片，

暗潮侵蝕了砂字的痕跡，
却不衝淡我悲慘的顏色——
我喊一聲海，海！
你從此不再是我的乖乖！

丰

哀曼殊斐兒

我昨夜夢入幽谷，
　聽子規在百合叢中泣血，
我昨夜夢登高峯，
　見一顆光明淚自天墜落。

古羅馬的郊外有座墓園，
　靜偃着百年前客殤的詩骸，
百年後海岱士黑輦的車輪，
　又喧響在芳丹卜羅的青林邊。

說宇宙是無情的機械，
　爲甚明燈似的理想閃耀在前？
說造化是真善美之表現，
　爲甚五彩虹不常住天邊？
我與你雖僅一度相見——
　但那二十分不死的時間！
誰能信你那仙姿靈態，
　竟已朝露似的永別人間？

非也！生命只是個實體的幻夢：
美麗的靈魂，永承上帝的愛寵：
三十年小住，只似曇花之偶現，
淚花裹我想見你笑歸仙宮。

你記否倫敦約言，曼殊斐兒！
今夏再見於琴妮湖之邊；
琴妮湖永抱着白朗磯的雪影，
此日我悵望雲天，淚下點點！

我當年初臨生命的消息，

夢覺似的驟感戀愛之莊嚴；
生命的覺悟是愛之成年，
　我今又因死而感生與戀之涯沿！

因情是攢不破的純晶，
　愛是實現生命之唯一途徑：
死是座偉秘的洪爐，此中
　凝鍊萬象所從來之神明。

我哀思焉能電花似的飛騁，
　感動你在天日遙遠的靈魂？

十三

我洒淚向風中遙送，
問何時能戡破生死之門？

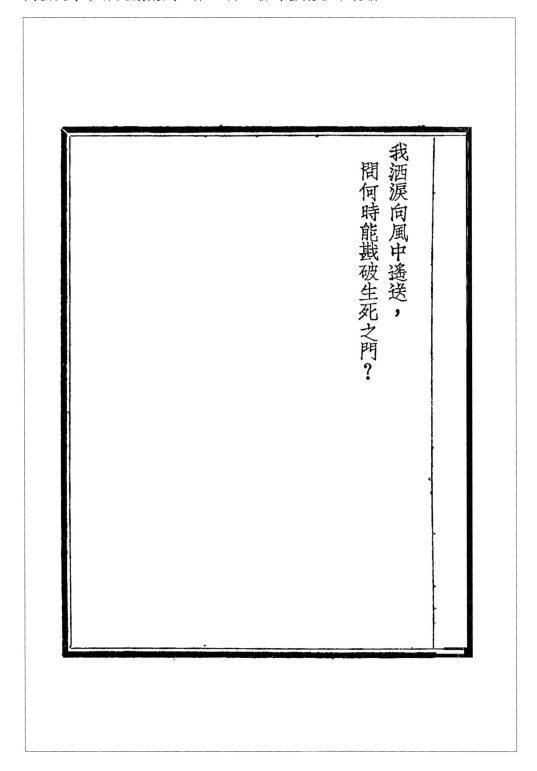

一个祈禱

請聽我悲哽的聲音，祈求於我愛的神：
人間那一個的身上，不帶些兒創與傷！
那有高潔的靈魂，不經地獄，便登天堂：
我是肉薄過刀山，炮烙，闖度了奈何橋，
方有今日這顆赤裸裸的心，自由高傲！

這顆赤裸裸的心，請收了罷，我的愛神！
因爲除了你更無人，給他溫慰與生命，
否則，你就將他磨成齏粉，散入西天雲，

一五三

但他精誠的顏色，却永遠點染你春朝的
新思，秋夜的夢境；憐憫罷，我的愛神！

默境

我友，記否那西山的黃昏，
鈍氳裏透出的紫靄紅暈，
漠沉沉，黃沙瀰望，恨不能
登山頂，飽餐西陲的菁英，
全仗你吊古殷勤，趨別院，
度邊門，驚起了臥犬狰獰——
墓庭的光景，却別是一味
蒼涼，別是一番蒼涼境地：
我手剔生苔碑碣，看塚裏

僧骸是何年何代，你輕踹
生苔庭磚，細數松針幾枚；
不期間彼此緘默的相對，
殭立在寂靜的墓庭牆外，
同化于自然的寧靜，默辨
靜裏深蘊着普遍的義韻；
我注目在牆畔一穗枯草，
聽鄰菴經聲，聽風抱樹梢；
聽落葉，凍烏零落的音調，
心定如不波的湖，却又教
連珠似的潛思泛破，神凝

如千年僧骸的塵埃，卻又
被靜的底裏的熱醱薰黠；

我友，感否這柔韌的靜裏，
蘊有鋼似的迷力，滿充着
悲哀的況味，闡悟的幾微，
此中不分春秋，不辨古今，
生命即寂滅，寂滅即生命，
在這無終始的洪流之中，
難得素心人悄然共遊泳；
縱使闡不透這悽偉的靜，

我也懷抱了這靜中涵濡，
溫柔的心靈；我便化野鳥
飛去，翅羽上也永遠染了
歡欣的光明，我便向深山
去隱，也難忘你遊目雲天，
遊神象外的 Transfiguration

我友！知否你妙目——漆黑的
圓睛——放射的神輝，照徹了
我靈府的奧隱，恍如昏夜
行旅，驟得了明燈，刹那間

周遭轉換，湧現了無量數
理想的樓台，更不見墓園
風色，更不聞衰冬吁喟，但
見玫瑰叢中，青春的舞踏
與歡容，只聞歌頌青春的
諧樂與歡悰；——
　　輕捷的步履，
你永向前領，歡樂的光明，
你永向前引；我是個崇拜
青春，歡樂與光明的靈魂

月下待杜鵑不來

看一回凝靜的橋影，
數一數螺細的波紋，
我倚暖了石闌的青苔，
青苔涼透了我的心坎；

月兒，你休學新娘羞，
把錦被掩蓋你光艷首，
你昨宵也在此勾留，
可聽她允許今夜來否？

聽遠村寺塔的鐘聲，
像夢裏的輕濤吐復收，
省心海念潮的漲歇，
依稀漂泊踉蹌的孤舟；

水粼粼，夜冥冥，思悠悠，
何處是我戀的多情友？
風颼颼，柳飄飄，榆錢斗斗，
令人長憶傷春的歌喉。

希望的埋葬

希望，只如今……………
如今只賸些遺骸；
可憐，我的心………
却教我如何埋掩？

希望，我撫摩著
你慘變的創傷，
在這冷默的冬夜
誰與我商量埋葬？

埋你在秋林之中，
幽澗之邊，你願否，
朝餐泉樂的琤琮，
暮偎著松茵香柔？

我收拾一筐的紅葉，
露凋秋傷的楓葉，
鋪蓋在你新墳之上，——
長眠著美麗的希望！

我唱一支慘淡的歌，
與秋林的秋聲相和；
滴滴涼露似的清淚，
灑遍了清冷的新墓！

我手抱你冷殘的衣裳，
悽懷你生前的經過——
一个遭不幸的愛母
廻想一場撫養的辛苦。

我又捨不得將你埋葬，

希望，我的生命與光明！
像那个情瘋了的公主，
緊摟住她愛人的冷屍！

夢境似的惝恍，
畢竟是誰存與誰亡？
是誰在悲唱，希望！
你，我，是誰替誰埋葬？

『美是人間不死的光芒，』
不論是生命，或是希望；

便冷骸也發生命的神光，
何必問秋林紅葉去埋葬？

塚中的歲月

白楊樹上一陣鴉啼，
白楊樹上葉落紛披，
白楊樹下有荒土一堆：
亦無有青草，亦無有墓碑；

亦無有蛺蝶雙飛，
亦無有過客依違，
有時點綴荒野的暮靄，
土堆鄰近有青燐閃閃。

卆

埋葬了也不得安逸，
髑髏在墳底歎息；
捨手了也不得靜謐，
髑髏在墳底飲泣。

破碎的願望梗塞我的呼吸
傷禽似的震悸着他的羽翼；
白骨放射着赤色的火燄——
却燒不盡生前的戀與怨。

白楊在西風裏無語，搖曳，
孤魂在墓窟的悽涼裏尋味：
「從不享，可憐，祭掃的溫慰，
更有誰存念我生平的梗概」！

全

叫化活該

『行善的大姑，修好的爺』，
西北風尖刀似的猛刺著他的臉，
『賞給我一點你們吃賸的油水吧』！
一團模糊的黑影，捱緊在大門邊。

『可憐我快餓死了，發財的爺』，
大門內有歡笑，有紅爐，有玉杯；
『可憐我快凍死了，有福的爺』，
大門外西北風笑說，『叫化活該』！

我也是戰栗的黑影一堆，
　蠕伏在人道的前街；
我也只討一些同情的温暖，
　遮掩我的剮殘的餘骸——

但是沈沈的緊閉的大門：誰來理睬；
街道上只冷風的嘲諷『叫化活該』！

一星弱火

我獨坐在半山的石上，
　看前峯的白雲蒸騰，
一隻不知名的小雀，
　嘲諷着我迷惘的神魂。

白雲一餅餅的飛昇，
　化入了遼遠的無垠；
但在我逼仄的心頭，啊，
　却凝斂著慘霧與愁雲！

皎潔的晨光已經透露，
洗淨了青嶼似的前峯；
像墓墟間的燐光慘淡，
一星的微燄在我的胸中。

但這慘淡的弱火一星，
照射著殘骸有餘燼，
雖則是往蹟的嘲諷，
却緜緜的長隨時間進行！

她是睡著了

她是睡著了——
星光下一朵斜欹的白蓮；
她入夢境了——
香爐裏裊起一縷碧螺煙。

她是眠熟了——
澗泉幽抑了喧響的琴絃；
她在夢鄉了——
粉蝶兒，翠蝶兒，翩飛的歡戀。

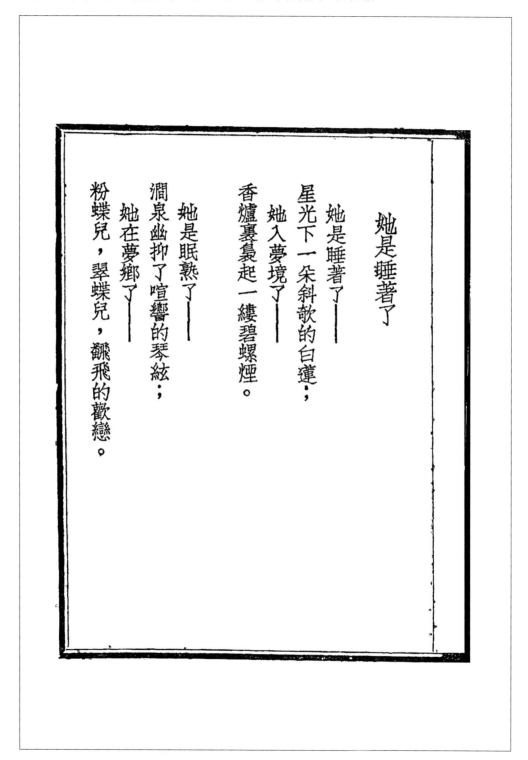

停匀的呼吸：
清芬滲透了她的周遭的清氛；
　有福的清氛
懷抱著，撫摩著，她纖纖的身形！

　奢侈的光陰！
靜，沙沙的盡是閃亮的黃金，
　平鋪著無垠，——
波鱗間輕漾著光艷的小艇。

一西

醉心的光景：
給我披一件彩衣，啜一罎芳醴，
　折一支藤花，
舞，在葡萄叢中，顛倒，昏迷，

　看呀，美麗！
三春的顏色移上了她的香肌，
　是玫瑰，是月季，
是朝陽裏的水仙，鮮妍，芳菲！

　夢底的幽秘，

挑逗著她的心——她純潔的靈魂，
像一只蜂兒，
在花心，恣意的唐突——溫存。

童真的夢境！
靜默；休教驚斷了夢神的慇懃；
抽一絲金絡，
抽一絲銀絡，抽一絲晚霞的紫曛；
玉腕與金梭，
織縑似的精審，更番的穿度——

化生了彩霞，
神闕，安琪兒的謌，安琪兒的舞。
可愛的梨渦，
解釋了處女的夢境的歡喜，
像一顆露珠，
顫動的，在荷盤中閃耀著晨曦！

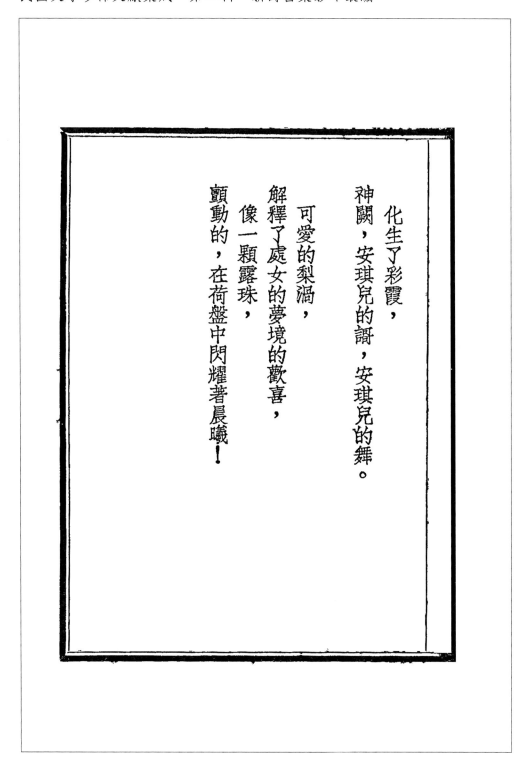

問誰

問誰？阿，這光陰的播弄
　問誰去聲訴，
在這凍沈沈的深夜，淒風
　吹拂她的新墓？

『看守，你須用心的看守，
　這活潑的流谿，
莫錯過，在這清波裏優遊，
　青臍與紅鰭』！

那無聲的私語在我的耳邊
似曾幽幽的吹噓，—
像秋霧裏的遠山，半化煙，
在曉風前卷舒。

因此我緊攬著我生命的繩網，
像一个守夜的漁翁，
兢兢的，注視著那無盡流的時光—
私冀有彩鱗掀湧．

但如今，如今只餘這破爛的漁網——
　嘲諷我的希冀，
我喘息的悵望著不復返的時光：
　淚依依的憔悴！

又何況在這黑夜裏徘徊：
　黑夜似的痛楚：
一个星芒下的黑影悽迷——
　留連著一个新墓！

問誰……我不敢搶呼，怕驚擾

八七

這墓底的清淳；
我俯身，我伸手向她摟抱——
阿，這半潮潤的新墳！

這慘人的曠野無有邊沿，
遠處有村火星星，
叢林中有鴟鴞在悍辯——
此地有傷心，隻影！

這黑夜，深沈的，環包著大地：
籠罩著你與我——

你，靜悽悽的安眠在墓底；
　我，在迷醉裏摩挲！
正願天光更不從東方
　按時的泛濫：
我便永遠依偎著這墓旁——
　在沈寂裏消幻——
但青曦已在那天邊吐露，
　蘇醒的林鳥，
已在遠近間相應的喧呼——

又是一度清曉・

不久，這嚴冬過去，東風
又來催促青條：
便粧綴這冷落的墓宮，
亦不無花艸飄颻・

但爲你，我愛，如今永遠封禁
在這無情的地下──
我更不盼天光，更無有春信：
我的是無邊的黑夜！

為誰

這幾天秋風來得格外的尖厲：
　我怕看我們的庭院，
　樹葉傷鳥似的猛旋，
　中著了無形的利箭—
沒了，全沒了：生命，顏色，美麗：

就賸下西牆上的幾道爬山虎：
　他那豹斑似的秋色，
　忍熬著風拳的打擊，

低低的喘一聲烏邑——
『我爲你耐著』！他仿佛對我聲訴。

他爲我耐著，那艷色的秋蘿，
但秋風不容情的追，
追，（摧殘是他的恩惠！）
追盡了生命的餘輝——
這回牆上不見了勇敢的秋蘿！

今夜那青光的三星在天上
傾聽著秋後的空院，

悄悄的，更不聞嗚咽：
落葉在泥土裏安眠—
只我在這深夜，啊，爲誰悽惘？

卆

落葉小唱

一陣聲響轉上了階沿
（我正挨近着夢鄉邊）；
這回準是她的脚步了，我想——
在這深夜！

一聲剝啄在我的窗上
（我正靠緊着睡鄉旁）；
這準是她來鬧着玩——你看！
我偏不張皇！

一个聲息貼近我的床，
我說（一半是睡夢，一半是迷惘）：——
『你總不能明白我，你又何苦
　　多叫我心傷』！

一聲喟息落在我的枕邊
（我已在夢鄉裏留戀）；
『我負了你』你說——你的熱淚
　　燙著我的臉！

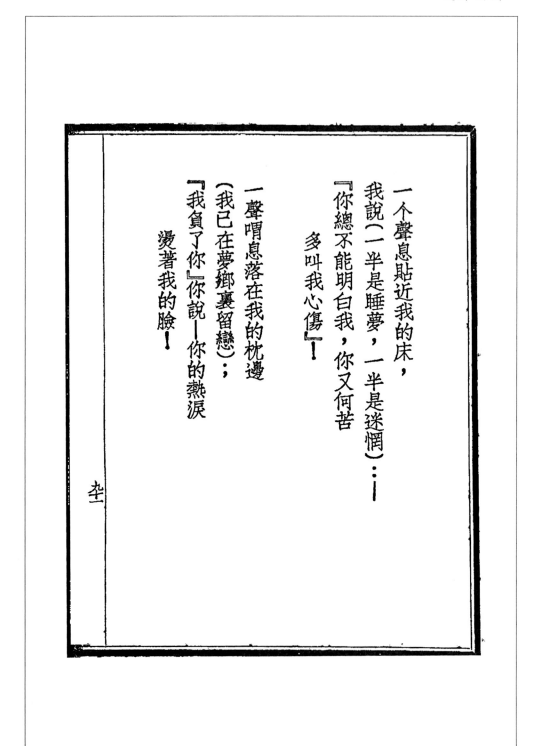

這音響惱著我的夢魂
（落葉在庭前舞，一陣—又一陣）；
夢完了，阿，回復清醒；惱人的—
　　却只是秋聲！

雪花的快樂

假如我是一朵雪花，
翩翩的在半空裏瀟洒，
我一定認清我的方向——
飛颺，飛颺，飛颺，
這地面上有我的方向。

不去那冷寞的幽谷，
不去那凄清的山麓，
也不上荒街去惆悵——

飛颺，飛颺，飛颺，——
你看！我有我的方向！

在半空裏娟娟的飛舞，
認明了那清幽的住處，
等著她來花園裏探望——
飛颺，飛颺，飛颺，——
啊，她身上有硃砂梅的清香！

那時我憑藉我的身輕，
盈盈的，沾住了她的衣襟，

貼近她柔波似的心胸——
消溶，消溶，消溶——
溶入了她柔波似的心胸！

康橋再會罷

康橋，再會罷；
我心頭盛滿了別離的情緒，
你是我難得的知己，我當年
辭別家鄉父母，登太平洋去，
（算來一秋二秋，已過了四度
春秋，浪跡在海外，美土歐洲）
扶桑風色，檀香山芭蕉況味，
平波大海，開拓我心胸神意，
如今都變了夢裏的山河，

渺茫明滅，在我靈府的底裏；
我母親臨別的淚痕，她弱手
向波輪遠去送愛兒的巾色，
海風鹹味，海鳥依戀的雅意，
盡是我記憶的珍藏，我每次
摩按，總不免心酸淚落，便想
理篋歸家，重向母懷中匐伏，
回復我天倫摯愛的幸福；
我每想人生多少跋涉勞苦，
多少犧牲，都祇是枉費無補，
我四載奔波，稱名求學，畢竟

在知識道上，採得幾莖花艸，
在真理山中，爬上幾個峯腰，
鈞天妙樂，曾否聞得，彩紅色，
可仍記得？——但我如何能回答？
我但自憲樓高車快的文明，
不曾將我的心靈污抹，今日
我對此古風古色，橋影藻密，
依然能坦胸相見，惺惺惜別。

康橋，再會罷！
你我相知雖遲，然這一年中

我心靈革命的怒潮，盡沖瀉
在你嫵媚河身的兩岸，此後
清風明月夜，當照見我情熱
狂溢的舊痕，尚留艸底橋邊，
明年燕子歸來，當記我幽歎
音節，歌吟聲息，縵爛的雲紋
霞彩，應反映我的思想情感，
此日撤向天空的戀意詩心，
讚頌穆靜騰輝的晚景，清晨
富麗的温柔；聽！那和緩的鐘聲
解釋了新秋涼緒，旅人別意，

我精魂騰躍，滿想化入音波，
震天徹地，瀰蓋我愛的康橋，
如慈母之於睡兒，緩抱軟吻；
康橋！汝永爲我精神依戀之鄉！
此去身雖萬里，夢魂必常繞
汝左右，任地中海疾風東指，
我亦必紆道西迴，瞻望顏色；
歸家後我母若問海外交好，
我必首數康橋；在温凊冬夜
蜡梅前，再細辨此日相與況味；
設如我星明有福，素願竟酬，

則來春花香時節，當復西航，
重來此地，再檢起詩針詩線，
繡我理想生命的鮮花，實現
年來夢境纏綿的銷魂蹤跡，
散香柔韻節，增媚河上風流；
故我別意雖深，我願望亦密，
昨宵明月照林，我已向傾吐
心胸的蘊積，今晨雨色淒清，
小鳥無歡，難道也爲是悵別
情深，累藤長艸茂，涕淚交零！

康橋！山中有黃金，天上有明星，
人生至寶是情愛交感，即使
山中金盡，天上星散，同情還
永遠是宇宙間不盡的黃金，
不昧的明星；賴你和悅寗靜
的環境，和聖潔歡樂的光陰，
我心我智，方始經爬梳洗滌，
靈苗隨春艸怒生，沐日月光輝，
聽自然音樂，哺啜古今不朽
——強半汝親栽育——的文藝精英；
恍登萬丈高峯，猛回頭驚見

真善美浩瀚的光華，覆翼在
人道蠕動的下界，朗然照出
生命的經緯脈絡，血赤金黃，
盡是愛主戀神的辛勤手績；
康橋！你豈非是我生命的泉源？
你惠我珍品，數不勝數；最難忘
騫士德頓橋下的星燐壩樂，
彈舞殷勤，我常夜半憑闌干，
傾聽牧地黑影中倦牛夜嚼，
水艸間魚躍蟲嗤，輕挑靜寞；
難忘春陽晚照，潑翻一海純金，

淹沒了寺塔鐘樓，長垣短堞，
千百家屋頂烟突，白水青田，
難忘茂林中老樹縱橫；巨幹上
黛薄荼青，卻教斜刺的朝霞，
抹上些微臙脂春意，忸怩神色；
難忘七月的黃昏，遠樹凝寂，
像墨潑的山形，襯出輕柔暝色，
密稠稠，七分鵝黃，三分橘綠，
那妙意祇可去秋夢邊緣捕捉；
難忘榆蔭中深宵清囀的詩禽，
一腔情熱，教玫瑰噙淚點首，

滿天星環舞幽吟，款住遠近
浪漫的夢魂，深深迷戀香境；
難忘村裏姑娘的腮紅頸白；
難忘屏繡康河的垂柳婆娑，
婀娜的克萊亞，碩美的校友居；
——但我如何能盡數，總之此地
人天妙合，雖微如寸芥殘垣，
亦不乏純美精神；流貫其間，
而此精神，正如宛次宛士所謂
『通我血液，浹我心藏』，有『鎮驯
矯飭之功』；我此去雖歸鄉土，

而臨行怫怫，轉若離家赴遠；
康橋！我故里聞此，能弗怨汝
僭愛，然我自有讜言代汝答付；
我今去了，記好明春新楊梅
上市時節，盼望我含笑歸來，
再見罷，我愛的康橋！

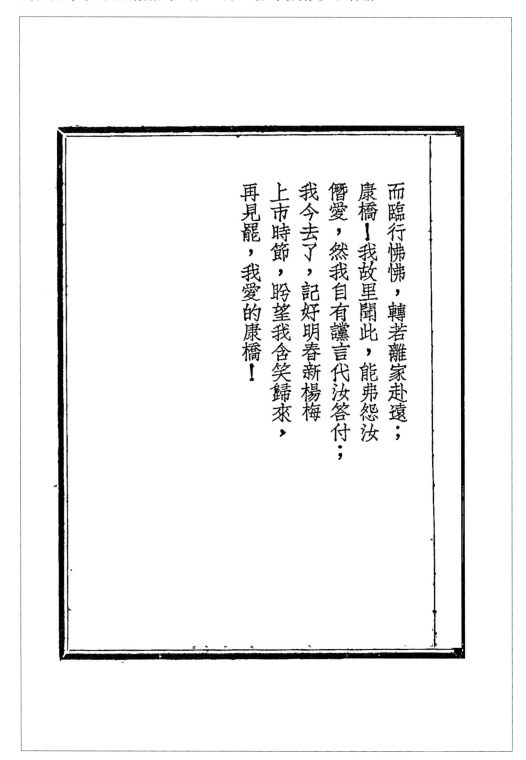